★ ★ ★ ★ ★

我的催眠树根

据［法］克利斯提昂·约里波瓦同名绘本动画片改编

郑迪蔚 / 编译

不一样的卡梅拉

二十一世纪出版社
21st Century Publishing House
全国百佳出版社

下蛋，下蛋，总是下蛋！

生活中肯定有比下蛋更好玩的事情！

我们遇到了一百年才醒一次的雪山猿人……

呼噜——
Z
Z
Z

半夜，大家都已进入梦乡，只有卡门在床上辗转反侧，睁着眼睛怎么也睡不着，“我失眠了吗？好奇怪的感觉。”

卡门想出去散散步，却听到屋外传来一阵哭泣声……

卡门悄悄地推开门。

“我是在做梦吗？刚才明明听见有人在哭。”

卡门小心翼翼地走下楼梯，四处张望。

突然，一个巨大的黑影朝她逼近……

“啊！”

喔喔喔——

皮迪克像往常一样是鸡舍里起得最早的，他有个神圣的任务——叫醒太阳。

“爸爸，不好啦，卡门的床是空的！你看见她了吗？”

卡梅利多惊慌失措地跑出来。

“我没看见。你呢，贝里奥？”

贝里奥睡眼蒙眬地回答：“没看见，我昨晚做梦在吃奶酪，真不想醒过来……”

“出事啦！快过来！太恐怖了！”鸬鹚佩罗沙哑的喊叫声把整个鸡舍都惊动了。

“这么大的脚印！是谁留下的？”

卡梅利多从地上拾起一根羽毛。

“这是卡门的羽毛！一定是大怪物把她抓走了！”

呜呜呜呜……

“呜呜呜！卡门，我再也见不到卡门了！”贝里奥放声痛哭。

“凭这巨大的脚印，我猜一定是‘夜帝’，他是性情残暴、体形庞大的雪山猿人……”公鸡爷爷果断地说。

"……他常年在山上休眠，就是那个最高峰的冰川上，每一百年才苏醒几天，通常会下山到我们的山谷里来！"

"可恶！原来是他抓走了我妹妹。"卡梅利多万分着急，"我要和他决斗！"

"等等，卡梅利多，别莽撞！雪山猿人是非常可怕的……"皮迪克对儿子的冒失行为很不放心。

“你爸爸说得对，不打没有准备的仗。”公鸡爷爷拿出一段树根，“你需要武器，非常强大的武器。”

“啪！”公鸡爷爷掰下一截，“这是催眠树根！谁吃下它，哪怕一小块，就会变得像绵羊一样乖。”

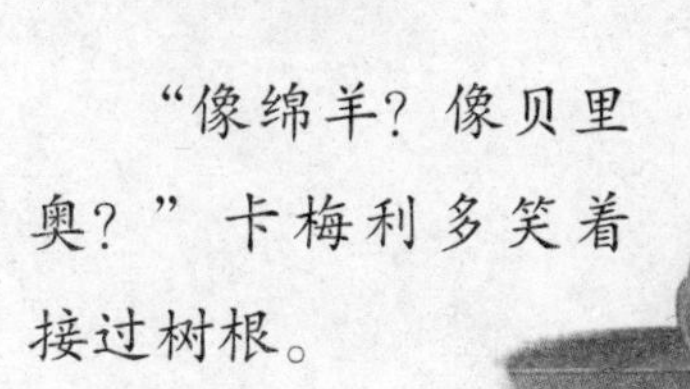

“像绵羊？像贝里奥？”卡梅利多笑着接过树根。

“跟上，贝里奥！”
啊！
“扔得漂亮，头儿！”

“山，我看着就晕；雪，我最怕冷；怪物，我闻着就过敏；前途实在不妙……”贝里奥喃喃自语。

贝里奥差点被飞来的三叉戟投中……

嗖！

不！

“下来，小绵羊！”

田鼠普老大一把没抓住，贝里奥迅速地蹿到了树上。

“我至少有三种办法可以逮住你，小绵羊！”田鼠普老大狞笑着。

贝里奥紧紧地抱住树干大喊：“卡梅利多，救我！”

卡梅利多正往前跑，突然一回头，看不见贝里奥的踪影……

“贝里奥，你在哪儿？”

“第一种办法，克拉拉爬上去；第二种，克拉拉爬上去；第三种，克拉拉爬上去。”田鼠细尾巴抢着回答。

“头儿，我觉得第三种最棒。”克拉拉准备爬树。

卡梅利多藏在灌木丛中想对策：“我不能冒失地出去，以一敌三太危险，除非……”他看了看手中的武器。

“……除非用这个催眠树根！”卡梅利多掰下两小截，“抓紧了，贝里奥！瞧我怎么对付这帮胆小鬼！”

田鼠克拉拉正费力地爬树，“我来啦，羊肉串！”

“头儿，又来一个不要命的！”细尾巴回头看见卡梅利多。

“今晚，连他一块烤了吃。”普老大恶狠狠地说。

“张嘴，你们两个坏蛋！”

卡梅利多奋力将两截树根投了出去。

“从此以后，你们就是两只肥母鸡！”卡梅利多指着田鼠普老大和细尾巴命令道。

话音刚落，两只坏蛋田鼠真的学起了母鸡的样子，“咕咕！咕咕！”满地找食。

田鼠克拉拉滑下树：“妈呀！我还没见过这么大的鸡呢！”

“哈喽，大肥鸡。我今晚要饱餐一顿了！”

“好啦！下来吧，
贝里奥！坏蛋都跑了。”
卡梅利多在树下喊。

贝里奥死死地抓住
树枝：“我做不到，太高
了！我晕！”

“张嘴，贝里奥！”卡梅利多掰下一截树根投向他。
贝里奥不由自主地张开嘴，吃下了催眠树根……

卡梅利多马上对贝里奥说：“从此以后，你就是勇敢的大公羊，谁也不怕！”

树根的功效很快显现，贝里奥“嗖”的一下跳下树。

“我谁也不怕！我现在就去救卡门！”贝里奥双目圆睁，撒腿向雪山跑去。

“等等我，贝里奥！”这还是卡梅利多第一次在后面追贝里奥。

高大的雪山主峰，白雪皑皑，覆盖着一片洁白的万年冰川，在阳光下闪动着点点亮光。

一个崭新的世界，在晶莹剔透的冰墙环绕中出现……

嗷嗷！

“咣！咣！”地面一阵晃动，全身披着厚厚白毛的雪山猿人，迈着沉重的步伐走进冰川洞穴。

他手里始终小心翼翼地捧着卡门……

“这地方不错，就是有点冷！”卡门冻得嘴唇都紫了。

雪人从喉咙里发出闷沉沉的一声：“嗯！”

“哦，你不会说话。”卡门点点头，“那我说你听，说对了就点点头。”雪人点了点头。

“这是你的房子吗？”

雪人点了点头。

“你家不错！我能参观一下吗？”说完，卡门就想往洞口走。

但被雪人一把给抓了回来。

“放开我，长毛家伙！我现在要回家！明白吗？”卡门挣扎道。

“好吧，算你赢！你到底想干什么？”卡门站在草垛上生气地问，“你不会想把我吃了吧？”

雪人摇摇头。

这下卡门放心了，“那我现在饿了！”

雪人从草垛中拿出了几个储藏的玉米。

“哇！这是你的食物？你一定是素食主义者，对吗？”

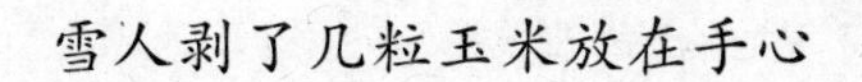

雪人剥了几粒玉米放在手心上递给卡门。

“给我的吗？你真好！”

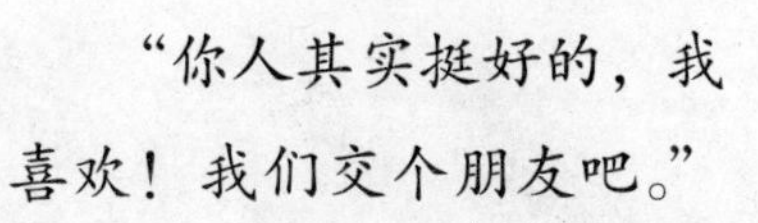

“你人其实挺好的，我喜欢！我们交个朋友吧。”

对于卡门的建议，雪人一个劲儿点头。

卡门吃饱了，就逗雪人玩："你怕痒是吗？"

雪人的大笑声在山洞里回音阵阵。

"我明白了，你很寂寞，只是想找个伴儿，对吧？"卡门拉着雪人的手，"走，我们到外面玩玩！"

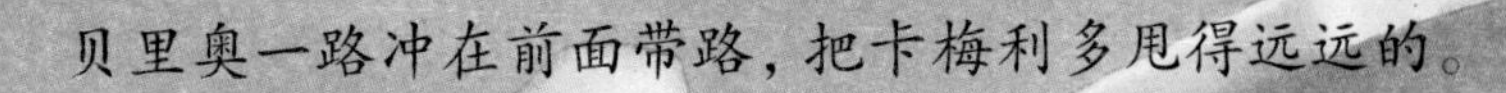

贝里奥一路冲在前面带路，把卡梅利多甩得远远的。

“嘿，卡梅利多！别磨磨蹭蹭的，走快点！”

“他一定是在高处那个洞穴里，我们赶快消灭他。”

“等一下，我们不要盲目闯过去，最好先拿出个计划……”卡梅利多劝贝里奥。

忽然，卡梅利多看见卡门和雪人从洞穴里出来，赶忙拉着贝里奥藏在冰墙后面。

“快躲起来，贝里奥！”

“我保证不会逃跑，相信我！”卡门想出了一个游戏。

她捡起一小块冰放在脚下。

“来吧，我们好好玩玩！”

雪人见卡门滑行的样子很有趣，也想试一试。

“你这个胆小鬼！还等什么？他们就要滑远了！”贝里奥愤怒地对卡梅利多大喊。

“嘘！冷静，贝里奥！他们会听到的。”

“不，贝里奥，别去！”

“来！跟我学，滑走喽！”
啊！
哈哈！

雪人从没有这样开心地玩耍过，他不停地拍手表达自己的心情。

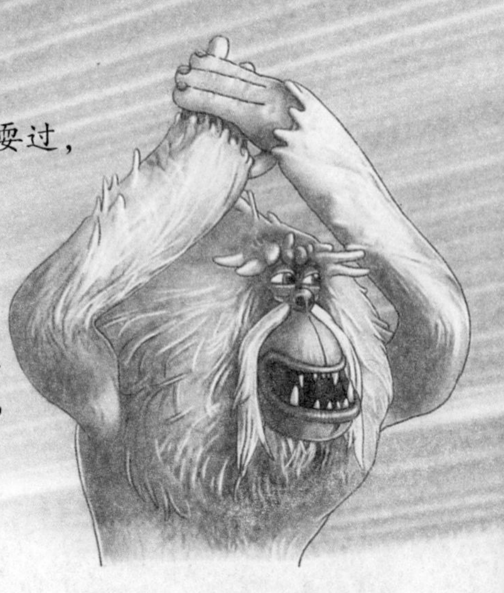

“都怪我，给你吃的树根太多了。我们不能冲动行事！”

卡梅利多根本拦不住贝里奥，他的劲儿实在太大了，发出的声响惊动了雪人……

“卡梅利多，你临阵退缩，不够朋友！”贝里奥指责道，“我要自己去救卡门！”

“咱们能商量商量吗？”

忽然，雪人停止了滑行，死死地盯着冰川下面，喉咙里发出恐怖的低吼……

“嘿，你怎么啦？”卡门奇怪地问。

雪人默不作声，一把将卡门抓起就往山洞里走。

“干得漂亮！贝里奥，这下他知道我们来了。”

卡梅利多赶紧捂住贝里奥的嘴，不让他再出声，“站着别动，太危险了！我先去找找有没有上去的路。”

说完，卡梅利多飞快地跑走了。

“卡梅利多，我也要去！你不能抛下我！”

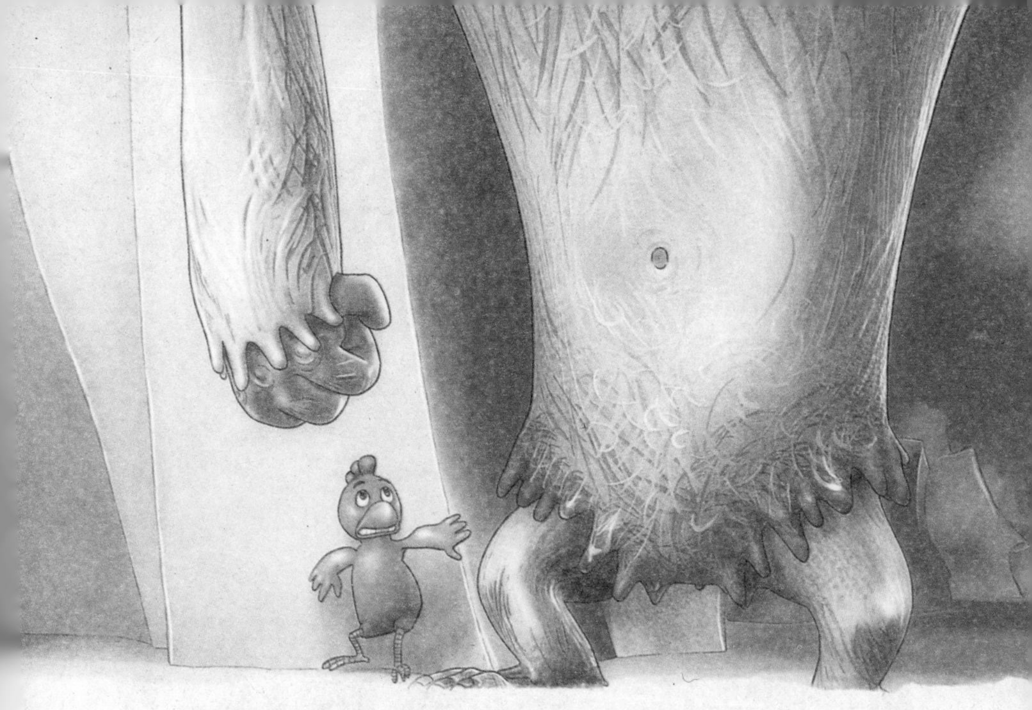

卡梅利多背贴着冰壁，一步一步悄悄往山洞里挪，小爪紧张得直冒汗，高大的雪人就站在洞口，警惕地四处张望。

“卡门！”

“你怎么会在这儿？”卡门惊喜地看着卡梅利多。

“长毛怪，看我不好好教训教训你！”洞口传来贝里奥的挑衅声。

雪人愤怒地大吼。

“天哪！是贝里奥在打架吗？他什么时候变勇敢的？”卡门简直不敢相信自己的眼睛。

“嗯！”

贝里奥朝雪人扔了一个冰块，正砸在他的鼻子上。

“长毛怪，让你见识见识我的厉害！”

“咩咩咩！”贝里奥扯着嗓子朝雪人吼叫。

“嗷嗷嗷！”雪人被激怒了，张牙舞爪地朝贝里奥扑来……

糟糕，贝里奥吃下去的催眠树根功效消失了！

卡梅利多看着手中剩余的树根，“这是最后的机会。”

“就是它让贝里奥变得勇敢的吗？”卡门好奇地问。

“对，我们只有靠催眠树根来制服雪人！”

“张嘴，长毛怪！”

雪人不知道飞来的是什么东西，下意识地张开了嘴。

“对他说你想要他做的事儿！”卡梅利多把机会让给妹妹。

“你是世界上最好的雪人，是我的好朋友。”

卡门看到雪人的面色变得越来越平和，“现在，我要回家了，你回洞里睡觉。”

雪人乖乖地往回走。

“好了，趁他药劲还没过去，我们赶快离开这儿。”卡梅利多赶紧拉上卡门和贝里奥。

“你们先走，我一会儿就回来，还有件事要做！”

“一会儿见，卡门。”

“你确定我和雪人打架了吗？”贝里奥完全不记得自己做过的事情，“不过，我有点担心卡门……”

“放心，雪人吞了一大块催眠树根，根本醒不过来。”卡梅利多继续对贝里奥讲述，“你不光勇敢，还不怕寒冷，爬山的速度连我都赶不上！”

正说着，卡门一蹦一跳地走过来。

“你总算回来了，怎么耽误这么长时间？”

“我和雪人道了个别，我还送他礼物留作纪念。”

呼呼——
z z z

传说在世界屋脊——喜马拉雅山里，生活着一种神秘的生物，它们体形高大，动作敏捷，浑身披毛，经常出没于风雪之中，这就是“雪山猿人”，又被称作“夜帝”(Yeti)。名字取自于居住在喜马拉雅山脉的夏尔巴人对雪山猿人的称呼，意思是“岩居人”。

民间流传着关于“夜帝”的种种传说，相传是一种介于人和猿之间的神秘动物，但至今尚未有确切的标本提供证明，传说远多于实证。即使到了今天，人们还在为到底有没有“夜帝”而争论着，也从来没有停止过寻找“夜帝”。无数科学家、探险家走进喜马拉雅山脉，试图找寻这种神秘的生物。有人曾经亲眼看见过，也有人说只是传说。到底有没有雪山猿人的存在呢？

喜马拉雅山脉
（位于青藏高原南巅边缘，是世界海拔最高的山脉。）

据［法］克利斯提昂·约里波瓦同名绘本动画片改编

图书在版编目（CIP）数据

我的催眠树根 / (法) 约里波瓦文；
(法) 艾利施图；郑迪蔚编译.
-- 南昌：二十一世纪出版社, 2014.7（2014.10重印）
（不一样的卡梅拉动漫绘本）
ISBN 978-7-5391-9869-9

Ⅰ. ①我… Ⅱ. ①约… ②艾… ③郑…
Ⅲ. ①动画—连环画—法国—现代
Ⅳ. ①J238.7

中国版本图书馆CIP数据核字(2014)第140959号

版权合同登记号 14-2012-443
赣版权登字—04—2014—469

我的催眠树根　郑迪蔚 / 编译

策　　划　奥苗文化　郑迪蔚
责任编辑　黄　震　　陈静瑶
制　　作　敖　翔
出版发行　二十一世纪出版社
　　　　　www.21cccc.com　cc21@163.net
出 版 人　张秋林
印　　刷　江西华奥印务有限责任公司
版　　次　2014年7月第1版　2014年10月第3次印刷
开　　本　800mm × 1250mm　1/32
印　　张　1.5
书　　号　ISBN 978-7-5391-9869-9
定　　价　10.00元

本社地址：江西省南昌市子安路75号　330009（如发现印装质量问题，请寄本社图书发行公司调换 0791-86512056）